D1178217

Un agradecimiento especial a Michael Ford.

Para William Nettleton, fuerte y amable.

DESTINO INFANTIL Y JUVENIL, 2014
infoinfantilyjuvenil@planeta.es
www.planetadelibrosinfantilyjuvenil.com
www.planetadelibros.com
Editado por Editorial Planeta, S. A.

© de la traducción: Macarena Salas, 2014

Título original: *Krabb. Master of the Sea*
© del texto: Working Partners Limited 2009
© de la ilustración de cubierta e ilustraciones interiores:
Steve Sims - Orchard Books 2009
© Editorial Planeta, S. A., 2014
Avda. Diagonal, 662-664, 08034 Barcelona
Primera edición: febrero de 2014
ISBN: 978-84-08-12426-9
Depósito legal: B. 114-2014
Impreso por Liberdúplex, S. L.
Impreso en España – Printed in Spain

El papel utilizado para la impresión de este libro es cien por cien libre de cloro y está calificado como **papel ecológico**.

KRAB,
EL AMO DEL MAR

ADAM BLADE

EL PALACIO
DE HIELO

LA CUEVA CRECIENTE

FREESHOR

EL VALLE DE
GWILDOR

LA JUNGLA ARCOÍRIS

Bienvenido a un nuevo mundo...

¿Pensabas que ya habías conocido la verdadera maldad? ¡Eres tan iluso como Tom! Puede que haya vencido al Brujo Malvel, pero le esperan nuevos retos. Debe viajar muy lejos y dejar atrás todo lo que conoce y ama. ¿Por qué? Porque tendrá que enfrentarse a seis Fieras en un reino en el que nunca había estado antes. ¿Estará dispuesto a hacerlo o decidirá no arriesgarse con esta nueva misión? No se imagina que en este lugar viven personas a las que le unen varios lazos y un nuevo enemigo dispuesto a acabar con él. ¿Sabes quién puede ser ese enemigo?

Sigue leyendo para saber qué va a pasar con tu héroe...

Velmal

PRÓLOGO

A Castor le encantaba sentir la arena en sus pies, pero tenía trabajo que hacer. Los peces no iban a meterse en su red.

Empujó su pequeña barca pesquera hasta la orilla y salió remando mar adentro. Agradeció el sol que le calentaba la cara. Era solamente en días así, soleados y en calma, cuando su padre lo dejaba salir a pescar solo. Puso rumbo a

alta mar, donde sabía que se concentra-
ban los grandes bancos de peces. No tardó mucho en divisar las señales que in-
dicaban dónde habría una buena pesca a
apenas unos metros de donde estaba:
una mancha oscura en el agua donde los
peces comían cerca de la superficie.

Castor se levantó con los pies separa-
dos para mantener el equilibrio y lanzó
la red con plomos al agua. Sujetó los ca-

bos atados a ambos lados de la red y observó cómo ésta caía encima del banco de peces. ¡Un lanzamiento perfecto!

Se apoyó con el pie en el lateral de su pequeña barca y tiró de la red. Pesaba mucho. Una buena pesca, ¡más que suficiente para un día de trabajo! Con un poco de suerte, llegaría al mercado antes del desayuno y estaría en casa a la hora de comer. Sintió que el corazón le latía con fuerza. Su padre era el mejor pescador de Gwildor, y Castor estaba seguro de que estaría orgulloso de él.

Mientras subía su pesada red a bordo, algo llamó su atención: una figura oscura que flotaba en el agua a lo lejos, en el este.

—¿Será un barco de Avantia? —se preguntó en voz alta.

Castor notó que la red se le resbalaba de las manos e inmediatamente vio que su botín volvía al agua. Intentó recuperarlo, pero sólo consiguió atrapar la mitad de los peces. El resto se escapó en el mar.

«¡Qué tonto soy!», se reprendió a sí mismo.

Cuando volvió a mirar, el barco había desaparecido de la vista.

Algo salió del agua justo delante de él. Era negro y fino. Parecía la silueta de una embarcación hundida que volvía a la superficie. Mientras Castor intentaba descifrar lo que era, se levantó una inmensa ola que lo empapó hasta los huesos. Cegado por el agua salada, se dio media vuelta y escupió.

Cuando volvió a mirar, se quedó paralizado de miedo. Ocho patas largas y delgadas de las que colgaban unas algas viscosas se alzaban sobre las olas. Castor se olvidó de su pesca y se echó hacia atrás, sin quitar la vista a la espantosa criatura marina.

Su cuerpo era mucho más grande que la barca de Castor y tenía percebes pegados en la tripa. Dos ojos malvados brillaban sobre su gran boca. ¡Era un cangrejo gigante!

La bestia se alzaba sobre el agua, formando olas con las patas, y empezó a avanzar por la superficie como si se des-

plazara por tierra firme. Dos grandes pinzas se abrían y cerraban en el aire haciendo unos ruidos amenazantes.

Castor cogió los remos y empezó a remar frenéticamente hacia la costa. Pero la criatura se acercaba demasiado de prisa. En un segundo ya estaba encima de él tapando el sol con su inmenso cuerpo.

Ahora que tenía tan cerca al cangrejo gigante, Castor observó que de una de sus pinzas goteaba un veneno verde. Antes de que pudiera reaccionar, la Fiera se lanzó contra la barca y Castor agachó la cabeza. Se oyó un gran crujido y la barca tembló. Cuando el chico volvió a mirar, la mitad de su barca y toda su pesca habían desaparecido. El agua se metía rápidamente en los restos de la embarcación y le llegaba hasta los tobillos. ¡Se estaba hundiendo!

Se agarró a las maderas de su barca mientras la Fiera se daba la vuelta para atacarlo. Sus ojos despedían un brillo de odio.

—¿Quién eres? —le gritó a la criatura.

La Fiera soltó un chillido como si fuera un ave marina y adelantó su pinza venenosa. Castor intentó saltar de la barca, pero un dolor agudo le recorrió la espalda. Se cayó. Tenía la vista borrosa y los brazos y las piernas le pesaban.

Intentó coger uno de los remos, pero no tenía fuerzas. Se le empezaron a cerrar los ojos mientras a lo lejos veía la costa de Gwildor. Ya no podría llevar la pesca que habría hecho que su padre se sintiera tan orgulloso. Pensaba que ni siquiera conseguiría volver vivo...

CAPÍTULO UNO

UNA NUEVA MISIÓN

—¿Estás seguro de que sabes adónde vas? —le preguntó Tom a Aduro.

—Está aquí, en algún sitio —contestó el brujo bueno, dando grandes zancadas y tocando con los nudillos la siguiente puerta del pasillo.

Tom se rió y miró a Elena. Su amiga sonrió.

Seguían a Aduro por un laberinto de

pasillos que había debajo del palacio del rey Hugo.

De pronto apareció una figura en la oscuridad y Tom desenvainó la espada, listo para enfrentarse al intruso. Pero cuando el brillo de la antorcha de Aduro iluminó el pasillo, vio que sólo se trataba de una armadura. El yelmo y el peto brillante le recordaron a Tom la armadura mágica dorada que había recuperado en su misión anterior.

—No tenía ni idea de que existían estos túneles —dijo Elena.

El brujo se detuvo repentinamente en medio del pasillo, y Elena y Tom casi se chocan con él. Tom vio que Aduro pasaba los dedos por la pared.

—¡Ya hemos llegado!

Tom miró la pared confundido. Allí no había ni rastro de una puerta, sólo la piedra fría con manchas de musgo verde.

—¿Adónde? —preguntó.

Aduro levantó su bastón y movió la punta haciendo un círculo por encima de la pared. Tom y Elena se quedaron boquiabiertos al ver que en la pared de piedra aparecía una grieta que se fue haciendo más grande hasta formar una entrada.

—Por aquí —dijo Aduro.

Tom y su amiga siguieron al brujo hasta la cámara lúgubre. Apenas podían ver nada, pero Aduro golpeó con fuerza su bastón contra el suelo y, de pronto, la sala se iluminó como si tuviera miles de velas encendidas.

Ahora Tom podía ver un caldero enorme que brillaba en medio de la habitación. Las paredes estaban cubiertas de estanterías repletas con recipientes de cristal que contenían líquidos y arena de muchos colores. «Éste debe de ser el lugar donde Aduro hace su poderosa magia», pensó Tom.

Oyó un ruido y se volvió. Justo al lado de la puerta vio a alguien que reconoció inmediatamente.

—¡Padre! ¿Por dónde has venido? —preguntó Tom, muy contento.

Taladón sonrió.

—He estado detrás de ti todo el tiempo.

—¿Cómo? —preguntó Elena—. No te oímos.

—Cuando te hayas enfrentado a tantas Fieras como yo, podrás moverte sigilosamente —contentó Taladón.

Tom notó que se le dibujaba una sonrisa en la cara. Hasta hacía unos días pensaba que Taladón había muerto y todavía le costaba trabajo creer que su padre estaba ahí, en carne y hueso.

—A lo mejor me puedes enseñar tu técnica —dijo Tom—. Podemos salir mañana a practicar. Ya verás cuando conozcas a *Tormenta*; es el caballo más rápido de Avantia... —Tom dejó de hablar al notar la mirada de preocupación en los ojos de su padre—. ¿Qué ocurre? —preguntó. Sabía que su padre tenía algo importante en la cabeza.

—Creo que... —empezó a decir Taladón mirando por encima del hombro de Tom hacia Aduro— vamos a tener que dejar eso para más adelante.

En el otro lado de la habitación, Aduro se aclaró la garganta. Tom se volvió para mirarlo. Tenía algo en la palma de la mano. El chico dio unos pasos para acercarse al brujo. Reconoció el objeto. Era el amuleto que había recuperado, pieza por pieza, durante su Búsqueda en la Tierra Prohibida. Taladón era un fantasma y volvió a ser de carne y hueso cuando Tom consiguió recuperar todos los trozos y juntarlos.

—Mira —dijo Aduro moviendo el amuleto delante de él.

Brillaba como una estrella en la mano de Aduro. Unos rayos de luz blanca salían del centro. Aduro le dio la vuelta para revelar el mapa que tenía en el otro lado. Tom observó fascinado cómo salían montañas y varios edificios del amuleto para indicar el lugar donde había unos asentamientos y varios pueblos. Los árboles relucían verdes en los lugares donde había bosques.

—Eso no es Avantia —murmuró Tom.

—El amuleto muestra a su dueño el camino que debe seguir en cualquier lugar —dijo Taladón—. Siempre debes confiar en él.

—¿Y dónde está ese sitio? —preguntó el chico observando con atención los márgenes del mapa, donde las olas de un mar azul y transparente rompían contra la costa arenosa.

Aduro le puso el amuleto en la mano y la luz desapareció.

—Es el reino de Gwildor —dijo el brujo mirando a Tom—. Donde te espera tu próxima Búsqueda...

CAPÍTULO DOS

MÁS ALLÁ DEL OCÉANO OESTE

—Nunca he oído hablar de Gwildor —dijo Elena.

Tom asintió mientras apretaba el amuleto en su mano.

—Todo tiene un gemelo —dijo Aduro—. Un compañero y un opuesto. Es lo que mantiene el equilibrio del universo.

—¿Es Gwildor el reino gemelo de Avantia? —preguntó Tom.

—Sí —dijo Aduro—. Durante muchos

años, los habitantes de Gwildor han vivido en paz, pero ahora la maldad se ha apoderado del reino. Las Fieras están creando el caos y destruyendo la vida de la gente.

Tom miró a Taladón con tristeza. Llevaba mucho tiempo deseando pasar tiempo con su padre, pero sabía que tendría que esperar un poco más.

Taladón le puso la mano en el hombro.

—Ya habrá otra ocasión, hijo —dijo—. Ahora, Gwildor te necesita.

—Pero ¿es que Gwildor no tiene a su propio Maestro de Fieras? —preguntó Elena.

Tom notó que Aduro y Taladón intercambiaban una mirada. Algo les preocupaba.

—Gwildor tuvo una vez a su propia heroína, una Maestra de Fieras para ser precisos, pero ella... ha cambiado. —Una expresión de dolor se dibujó en el rostro de Aduro—. No puedo revelar nada más. Debemos estar preparados.

—Eso siempre que aceptes el reto, Tom —dijo Taladón—. Al fin y al cabo, ya te has enfrentado a demasiadas Fieras para la edad que tienes. Si crees que necesitas tomarte un descanso en el castillo...

—No —dijo el muchacho enderezándose—. Si permitimos que la maldad se propague por Gwildor, Avantia podría ser la siguiente en sufrir.

Taladón sonrió.

—Me gustaría acompañarte en esta Búsqueda, pero debo quedarme para volver a ser el Maestro de las Fieras.

—No te preocupes, yo estoy aquí para cuidarlo —dijo Elena dando un paso—. Pero ¿dónde está Gwildor?

—Más allá del Océano Oeste —dijo Aduro—, a un día de viaje en barco.

—La travesía podría ser peligrosa —añadió Taladón—. Las tormentas aparecen sin previo aviso.

—Lo conseguiremos —dijo Tom—. Y cuando lo hagamos, destruiremos a todas las Fieras.

Taladón levantó la mano.

—No, Tom, las Fieras de Gwildor no son malvadas. Están sometidas a un maleficio de magia oscura. Debes liberarlas, no destruirlas.

Tom asintió. Ya había visto antes Fieras sometidas a maleficios de magia oscura. En su primera Búsqueda, tuvo que liberar a las Fieras de Avantia de la maldición del Brujo Malvel.

—No lo entiendo —dijo—. Creía que Malvel y su magia habían desaparecido para siempre.

Aduro negó con la cabeza.

—Esta vez tu enemigo no es Malvel. Él se está recuperando de su última batalla en algún lugar de Gorgonia.

—Entonces, ¿quién está controlando a las Fieras de Gwildor? —preguntó Elena.

—Se llama Velmal —dijo Aduro—. Gwildor es el reino gemelo de Avantia y también tiene su propio Brujo Oscuro.

—¿Velmal? —preguntó Tom—. Nunca lo habías mencionado hasta ahora.

Aduro suspiró.

—Hasta hace poco no era necesario. Velmal llevaba muchos años en el calabozo de Gwildor, pero se ha escapado...

—¿Cómo sabes todo esto? —preguntó Elena.

—Mi magia no es tan poderosa en Gwildor como en Avantia —dijo Aduro—, pero tengo el suficiente poder para saber que el peligro se acerca.

Tom sintió que hervía de rabia por dentro. Se prometió que acabaría con Velmal y salvaría a las Fieras buenas de Gwildor.

—¿A qué Fieras tenemos que liberar? —preguntó.

—No hay tiempo para explicaciones —contestó Taladón—. Sólo debes saber que son mucho más feroces que cualquier otra de Avantia. Y quizá ahora son incluso más fuertes. Hace muchos años que no me enfrento a las Fieras de Gwildor, desde que... —Se detuvo—. Desde que conseguí aprisionar a Velmal.

—Debéis daros prisa —dijo Aduro acercándose al caldero. En su mano tenía un frasco con un líquido morado.

»Os enviaré a la costa oeste de Avantia, donde os estará esperando un barco.

Taladón volvió a poner la mano firmemente en el hombro del chico.

—Buena suerte, Tom —dijo.

Aduro inclinó el frasco con mucho cuidado y una gota del líquido cayó en el

caldero. Se levantó una nube de humo
dorado que los envolvió. De pronto, Tom
notó que se le levantaban los pies del
suelo. Vio que Elena también estaba ascendiendo. Taladón y Aduro empezaron
a hacerse más pequeños mientras él y su
amiga subían por el aire.

—Adiós, padre —gritó Tom. Vio que
Taladón se despedía solemnemente con
la mano antes de que la habitación desa-
pareciera por completo.

CAPÍTULO TRES

UN NUEVO REINO, UNA NUEVA FIERA

Tom sintió el olor a sal en el aire mientras notaba cómo descendía y sus pies se hundían en algo suave. ¡Arena!

—¡La costa oeste! —dijo Elena.

Su amigo miró a su alrededor impresionado. Elena tenía razón. Ya habían estado una vez allí cuando rescataron a Sepron, la serpiente marina.

—¡No sabía que la magia de Aduro era tan poderosa! —dijo Tom.

La arena dorada se extendía en una dirección hasta donde se perdía la vista. En la otra, un promontorio rocoso se metía en el mar. El viento borrascoso agitaba las olas verdes del mar. Un barco con un mástil y la vela enrollada descansaba escorado sobre la arena.

—¡Ése debe de ser nuestro barco! —exclamó Elena.

Tom asintió mirando hacia el mar. Más allá, en algún lugar, los esperaba Gwildor. Mientras lo observaba todo, se dio cuenta de que les faltaba algo muy importante.

—¡*Tormenta* y *Plata*! —dijo. A Tom y a Elena siempre los acompañaban sus fieles animales en todas sus Búsquedas. La idea de viajar sin ellos era desalentadora.

De pronto, el aire alrededor del barco empezó a brillar. Aparecieron dos figuras, una más grande que la otra. Tom distinguió el cuerpo musculoso de *Tormenta* y la ágil complexión de *Plata*. La neblina desapareció y ahora veía con claridad al caballo y al lobo en la playa. *Tormenta* agitó las crines y clavó los cascos en la arena.

—¡Cómo me alegro de que estén aquí! —dijo Elena.

Plata empezó a correr en un amplio círculo, olisqueando y ladrando a las olas. Tom abrió las abultadas alforjas de *Tormenta*. Dentro había pan, queso y carne seca. Los odres estaban llenos de agua. De la montura colgaba su escudo, que le había salvado la vida en innumerables ocasiones.

—Vamos —le dijo a Elena echándose el escudo al hombro—. No hay tiempo que perder.

Empujaron el barco hasta la orilla y Tom notó el agua fría que le salpicaba los tobillos. Elena sujetó el barco y el chico subió a *Tormenta* a la embarcación y ató sus riendas a un banco. *Plata* pegó un salto y se sentó en la proa. Por último, Elena subió a bordo mientras Tom desplegaba la vela y se sentaba al timón.

—¿Hacia dónde vamos, Tom?

—Hacia el oeste —contestó él—. Espero que una vez que lleguemos a Gwildor, el amuleto nos lleve hasta la primera Fiera.

La vela pronto se llenó de aire y el velero avanzó por el mar revuelto.

—Toma —dijo Tom pasándole un odre a Elena—. Tenemos que beber. Hoy hace mucho calor.

Comieron un poco de pan y queso mientras el sol describía un arco en el cielo. Cuando terminaron, Tom notó que el agua había cambiado de color, ya no tenía el mismo tono verde de la costa de Avantia. Ahora era de un color esmeralda brillante. El cielo también había cambiado y las nubes grises de la costa habían desaparecido. Era un cielo azul perfecto.

—¡Por lo menos Gwildor no es como Gorgonia! —dijo Elena.

Tom se rió. El paisaje polvoriento y el cielo rojo de Gorgonia eran difíciles de olvidar.

—Debemos de estar cerca de la costa —dijo Elena señalando una línea estrecha y oscura en la distancia.

Tom miró preocupado. «Todo parece muy bonito —pensó—, pero la maldad acecha en Gwildor.»

Mientras Elena llevaba el timón, su amigo sacó su brújula mágica. Le decía qué les esperaba más adelante. Se la puso en la palma de la mano y apuntó hacia la costa. Vio cómo la aguja pasaba por delante de la palabra *peligro* y se detenía en la palabra *destino*. Eso le hizo sentirse mejor... durante un rato...

¡Ploc!

A Tom casi se le cae la brújula al agua cuando el velero chocó con algo y se detuvo repentinamente.

—¿Qué ha sido eso? —dijo Elena—. No veo ninguna roca.

Tom se acercó a la proa y se asomó. La madera del casco estaba abollada, pero por suerte no se había quebrado. El agua clara le permitía ver el fondo arenoso del mar.

—Qué raro —dijo—. Aquí no hay nada.

El velero avanzó durante un momento y después volvió a detenerse con otro ruido hueco. Esta vez, Tom vio una roca negra que sobresalía por encima del agua y brillaba bajo la luz del sol. Estaba confundido. Las rocas no flotaban en medio del mar.

De pronto, se movió. Se hundió lentamente y desapareció.

—¿Qué era eso? —preguntó Elena.

—No lo sé —contestó Tom con un escalofrío. Oyó que *Tormenta* relinchaba detrás de él. El caballo también sentía el peligro.

La extraña roca volvió a aparecer a unas veinte brazadas de la proa por estribor. Se elevó por encima del agua dejando un rastro de algas. Tom la observó y distinguió dos ojos malvados que se movían salvajemente en las cuencas de un caparazón grueso.

De pronto, el agua que los rodeaba empezó a agitarse y Tom corrió a bajar la vela para que el barco no volcara. Oyó a *Plata* aullar nervioso a medida que más fragmentos de roca aparecían en la superficie de las olas. El muchacho tardó un momento en percatarse de lo que eran: unas patas enormes que salían del mar. No era una roca. ¡Era una Fiera con ocho patas!

La criatura continuó ascendiendo en el agua mientras movía sus inmensas pinzas hacia delante y hacia atrás. Tom vio que una sustancia extraña de color verde brillante palpitaba en la punta de una de las pinzas.

El monstruo era tan grande que bloqueaba la luz del sol, envolviendo al pequeño velero con su sombra.

Una voz resonó en el cielo, pero la boca de la Fiera no se movía.

—Volved a Avantia, ilusos —dijo la voz—, o acabaréis devorados entre las mandíbulas de *Krab*, la Fiera de Gwildor.

CAPÍTULO CUATRO

VELMAL, LA MALDICIÓN DE GWILDOR

«¡Velmal!», pensó Tom.

—No volveremos a ninguna parte —gritó al cielo.

Plata se puso de pie y se acercó a la proa del velero. Con las dos patas en el borde, gruñó a la horrible Fiera. *Krab* lo ignoró y siguió avanzando hacia ellos abriéndose paso en el agua salada.

Tom se quedó sin respiración al ver

que la Fiera podía caminar por la superficie del mar. Sus pinzas eran tan grandes como una persona y tenían el borde serrado. Se abrían y cerraban en el aire y Tom sabía que lo podrían partir por la mitad con la misma facilidad que su espada cortaba una hoja.

Krab se alzó ante ellos levantándose sobre sus patas traseras. Tom observó su ancha boca roja de la que caían babas.

—¡Cuidado! —le gritó Elena a *Plata*. El lobo se apartó en el instante en el que *Krab* golpeó la proa del velero con una de sus patas. La madera se astilló y crujió entre sus pinzas. Tom retrocedió justo cuando el mástil se partió y el agua empezó a entrar por los lados. *Tormenta* relinchaba de miedo. Tom sabía que si el velero se hundía, él, Elena y *Plata* podrían nadar y ponerse a salvo, pero no estaba seguro de si *Tormenta* sabía nadar.

Tom desenvainó la espada.

—¡Pon rumbo a la costa! —le dijo a Elena.

—Y tú, mantén a la Fiera bajo control —contestó su amiga cogiendo los remos y hundiéndolos en el agua furiosamente. Con el mástil partido, era la única manera de ponerse a salvo.

Krab movió una pinza hacia ellos y Tom tuvo que emplear todas sus fuerzas para esquivar el golpe con la parte plana de su espada. Tom sabía que no debía herir a *Krab*. Aduro le había dicho que las Fieras eran buenas. El verdadero enemigo era Velmal.

Mientras el desvencijado velero se acercaba a la costa, *Krab* dio una vuelta en el agua, levantó una de sus inmensas pinzas y la bajó hacia la embarcación.

Tom se preparó y recibió el impacto

con su escudo. La Fiera chilló y apartó
la pinza.

Krab se alzaba encima de ellos. El velero se alejaba pero la Fiera los seguía
de cerca. Cada vez que se quedaba atrás,
sus patas se movían más rápido para al-
canzarlos.

Elena remaba desesperadamente mientras Tom vigilaba a su peligroso oponente. Observaba el cuerpo de *Krab* en busca de una señal que le indicara dónde estaba el maleficio. Velmal tenía que haber dejado alguna marca en el cuerpo de la Fiera.

—Coge los remos, Tom —dijo Elena jadeando—. Ya no puedo más. Yo me encargaré de *Krab*.

Tom se puso de rodillas y cogió los remos, los hundió en el agua y empujó con todas sus fuerzas. Elena se puso de pie y cargó una flecha en su arco.

—¡No! —dijo Tom mientras seguía remando—. ¡No puedes matarlo!

—Sólo voy a detenerlo un poco —dijo su amiga. Disparó la flecha y se clavó justo donde la pata de *Krab* se unía con el caparazón. La Fiera gritó, se hundió en las olas y desapareció. Tom suspiró aliviado. La pequeña herida mantendría a *Krab* alejado de momento.

—Buen trabajo —le dijo a su amiga mientras remaba hacia la costa. Elena sonrió. Pronto llegaron a la costa, arrastraron el velero hasta la arena y ayudaron a bajar a *Plata* y a *Tormenta*. Tom miró a su alrededor. La arena de la playa de Gwildor tenía un color blanco precioso. Unos metros más allá, había una zona de árboles.

—Pensaba que no lo conseguiríamos —dijo Elena.

—No lo habríamos conseguido si no fuera por ti —respondió Tom.

De pronto, *Tormenta* relinchó alarmado. Dos personas, un hombre y una mujer, salieron de entre los árboles y se acercaron hacia ellos, Pero no parecían... humanos. A Tom se le puso la carne de gallina. Notaba que la maldad andaba cerca.

—¿Quiénes son? —murmuró Elena.

Tom los observó. Tenían un aspecto fantasmal y estaban rodeados de una neblina morada. El chico desenvainó la espada, pero el hombre se rió.

—Baja tu arma —ordenó fríamente—. Tu espada es inútil contra mí. Yo soy el gran Velmal.

«Así que éste es el Brujo Malvado de Gwildor», pensó Tom mientras oía los gruñidos de *Plata* al lado de Elena.

Velmal llevaba una túnica negra y tenía el pelo de un color rojo intenso. A diferencia de Malvel, tenía los brazos y las piernas musculosos, pero las líneas de crueldad que se dibujaban en su cara le recordaron a Tom a su viejo enemigo.

—¿Qué quieres? —gritó el muchacho.

—Parece que el chico es valiente, ¿no? —dijo la mujer con una sonrisa burlona. Tenía una voz baja y carrasposa. Era tan alta como Velmal. Su pelo era negro como el azabache, al igual que sus ojos, que brillaban intensamente. Llevaba una armadura plateada con muchas abolladuras. Tom la observó con cautela, pero también con admiración. Esta mujer era su enemiga, aunque le daba la extraña sensación de que tenían cosas en común. Por su aspecto, estaba claro que ella había visto, y ganado, muchas batallas.

Velmal asintió.

—Puede que sea valiente, Freya, pero es un tonto por haber venido aquí. —Miró a Tom y a Elena con odio—. Malvel ya me habló de vosotros dos. Estoy deseando presenciar vuestras muertes.

—¡Ya basta! —dijo Tom—. ¡Estoy aquí para detenerte, Velmal!

—Antes, tendrás que detener a las seis Fieras, muchachito. Y te lo advierto —el brujo miró a la mujer con cara de pena—: El último campeón no fue capaz de vencerlas.

—¡Debe de ser la Maestra de las Fieras! —susurró Elena.

Tom frunció el ceño. ¿Cómo podía haberse aliado Freya con el Brujo Malvado? ¡Su padre nunca se habría aliado con Malvel! Avanzó con grandes zancadas y blandió la espada. Pero el filo de su arma atravesó a Velmal y Tom cayó en la arena.

Velmal sonrió y Freya soltó una carcajada. Tom se quedó mirando cómo sus cuerpos se desvanecían como el humo en la brisa.

—Si pretendes vencer a *Krab,* más te vale ser mucho más rápido —dijo la voz cada vez más baja del Brujo Malvado.

La risa de Freya desapareció y Tom se quedó en la arena, con Elena y sus dos animales.

—¡Tom, mira! —dijo la muchacha señalando hacia el agua.

Tom miró en la dirección que apuntaba su dedo y vio algo en la superficie del mar que se movía hacia la costa. «¿Será otra vez *Krab*? —se preguntó entornando los ojos—. No, parece el cuerpo de un chico.» El cuerpo estaba boca arriba, mirando hacia el cielo, y las rodillas y los pies flotando por encima de la superficie.

—Vamos —dijo Tom corriendo hacia el agua. Oyó las pisadas de Elena chapoteando en el agua detrás de él. Cuando llegaron hasta donde estaba el chico, Tom se temía lo peor.

¿Se habría cobrado ya *Krab* una vida inocente?

CAPÍTULO CINCO

EN BUSCA
DE UNA PISTA

Siguieron avanzando y el agua les llegaba por la cintura. Tom se mantenía alerta por si veía algún indicio de *Krab*. Notó que los párpados del chico se movían.

—¡Está vivo! —dijo Tom—. ¡Vamos, tenemos que llevarlo a la playa!

Tom metió los brazos por debajo de sus axilas y Elena le levantó las piernas. Una vez de vuelta en la playa, le quitaron la camisa para ver si tenía alguna herida. En el pecho no tenía nada, pero cuando le dieron la vuelta, vieron una extraña cicatriz abultada en la parte inferior de la espalda. Parecía la picadura de un insecto gigante.

Tom sacó el espolón mágico de su es-

cudo, un regalo que le había dado su viejo amigo *Epos*, el pájaro en llamas. Podía curar rápidamente las heridas, como cortes y magulladuras. Puso el espolón sobre la cicatriz, pero no sucedió nada.

—Debe de ser venenoso —dijo Elena—. El espolón no puede curar las heridas de veneno. ¿Crees que fue...?

—¿*Krab*? —Tom terminó su pregunta y recordó la punta de la pinza de la Fiera—. Seguro que sí.

Cuando volvieron a darle la vuelta al chico, su pecho subía y bajaba rítmicamente. Tom confió en que pronto recuperara la conciencia. *Plata* olisqueó el cuerpo del muchacho, después miró a Tom y a Elena, y aulló preocupado.

—¿Sabes si Aduro metió algunas hierbas en las alforjas de *Tormenta*? —le preguntó Tom a Elena. Mientras su amiga iba a mirar, Tom le levantó los párpados al chico. Tenía las pupilas dilatadas y desenfocadas.

—No hay nada —dijo Elena volviendo a su lado. De pronto, se quedó mirando el pecho de su amigo—. ¡El amuleto!

El amuleto que Tom llevaba colgado del cuello brillaba. Lo cogió y lo puso en la palma de su mano con el mapa hacia arriba. De pronto, el mapa se extendió mágicamente desde el centro. En el borde había un mar en miniatura de color verde que rompía contra las rocas. Una figura negra con forma de cangrejo se alzaba por encima de las rocas de la costa, y a su lado, la palabra *KRAB*. En la otra dirección apareció una línea roja que se extendía hacia el interior desde donde estaban ellos, y serpenteaba entre una línea de árboles y maleza verde.

—Creo que el amuleto quiere que siga la línea roja —dijo dándole la vuelta y mirando a su amiga—. Pero tú deberías quedarte aquí con él. Cuando se despierte, a lo mejor no sabe ni dónde está.

—Pero podría ser peligroso —dijo Elena.

—Taladón dijo que podíamos confiar en el mapa —contestó Tom—. Quédate aquí con *Plata*. Yo me llevaré a *Tormenta* y veré qué hay tierra adentro. Espero encontrar algo que nos ayude a liberar a *Krab* de la maldición de Velmal.

Elena asintió.

—Ten cuidado.

Tom se subió a la silla de *Tormenta* y guió al caballo entre los árboles. Había enredaderas colgando de las ramas y racimos de frutas de distintos colores crecían entre la maleza. El suelo del bosque estaba cubierto de un musgo verde y esponjoso y hojas de helechos diez veces más altas que Tom salían de la tierra.

Tom volvió a mirar el mapa y vio que la línea roja se extendía más allá, hacia las profundidades del bosque. Algo se movió en un árbol por delante. El muchacho tiró de las riendas de *Tormenta* para que el caballo se detuviera. Apareció una figura brumosa entre los troncos y Tom desenvainó su espada y se puso el escudo en el brazo listo para defenderse.

Respiró aliviado al reconocer a la persona que iba hacia él. ¡Era Aduro! La silueta del brujo temblaba y aparecía y desaparecía.

—Debo darme prisa, Tom —dijo Aduro—. Mi magia no tiene fuerza tan lejos de Avantia.

—Me alegro de que estés aquí. Estoy siguiendo el mapa, pero no sé adónde me lleva —dijo Tom con urgencia.

—Siempre debes confiar en el amule-

to —dijo Aduro. Su imagen volvió a temblar—. Te conducirá hasta las seis recompensas que te ayudarán a liberar a las Fieras.

Tom tenía que hacer un esfuerzo para oír la voz del brujo.

—¿En qué consisten esas seis recompensas? —preguntó.

—Son objetos que antes pertenecían a la Maestra de las Fieras —dijo Aduro—. Velmal los ha esparcido por todo Gwildor. Sólo con la ayuda de las recompensas podrás liberar a las Fieras.

—Pero...

Aduro desapareció antes de que Tom pudiera hacerle más preguntas. Una vez más, se encontraba solo en el bosque, pero se sentía mucho más seguro ahora que había oído los consejos del brujo. Volvió a mirar el mapa del amuleto y puso a *Tormenta* al galope. No quería dejar a Elena sola durante mucho tiempo.

Pronto, la línea roja desapareció y Tom se bajó del lomo de *Tormenta*. A su lado había un árbol tan alto que apenas podía ver la copa. Era tan ancho que media docena de hombres no serían capaces de rodearlo con sus brazos. ¿Sería allí donde encontraría una de las recompensas de la Maestra? Tom pasó la mano por la corteza. Parecía un árbol normal y corriente.

Tormenta relinchó y escarbó el suelo con los cascos cerca de la base del tronco.

—¿Qué ocurre, muchacho? —preguntó Tom acercándose al lugar donde su caballo levantaba la tierra. *Tormenta* movía la cabeza hacia el tronco. El chico vio algo y se acercó. En una de las grietas del tronco había algo que brillaba.

—¿Qué es esto? —murmuró para sus adentros.

Cogió la espada y metió la punta para intentar hacer la grieta más grande. El brillo plateado se hizo más intenso. Tom sujetó la corteza con la mano y tiró con todas sus fuerzas. Con un crujido, la madera se astilló y un objeto pequeño y redondo cayó en su mano.

Era una de las cosas más impresionantes que había visto en su vida: una perla brillante. Tom había visto perlas en Avantia cuando las encontraban los pescadores, pero ésta era diferente. ¡Era tan grande como una manzana! Mientras estudiaba su superficie suave y perfecta, notó una sensación extraña y potente que le subía por el pecho.

—Ésta debe de ser una de las recompensas de Freya —murmuró.

El amuleto había funcionado. Lo había llevado hasta el arma que lo ayudaría a luchar contra la magia de Velmal.

Metió la perla en el bolsillo y la sensación de poder que había sentido antes bajó de intensidad, como si sólo funcionara cuando estaba en contacto con la piel. Se dirigió inmediatamente de vuelta a la playa. No sabía si la perla lo ayudaría a liberar a *Krab*, pero ahora se sentía mucho más seguro que antes.

—Mientras la sangre corra por mis venas —le dijo a *Tormenta* levantándose en la silla mientras galopaban por la arena—, no permitiré que Velmal mantenga aprisionadas a las Fieras.

CAPÍTULO SEIS

ATRAER A LA FIERA

En poco tiempo, Tom estaba de vuelta en la playa. Elena seguía con el chico, que estaba apoyado en un trozo de madera y bebía agua de uno de los odres. *Plata* ladró entusiasmado al ver a *Tormenta* galopar hacia ellos. A medida que Tom se acercaba, vio que el trozo de madera era un resto de una barca pequeña de pesca. En la arena había redes y restos de peces muertos.

—¡Has vuelto! —dijo Elena—. Éste es Castor, un pescador de Gwildor. Le he contado que venimos del este. Castor, éste es mi amigo Tom. Él ayudó a rescatarte.

Tom se bajó de *Tormenta* y se agachó al lado de Castor. El chico estaba pálido.

—Pensábamos que te habías ahogado —dijo Tom—. ¿Cómo te encuentras?

—He tenido momentos mejores —contestó Castor—, pero los pescadores estamos acostumbrados a los temporales. Mi padre ha vuelto muchas veces a casa en condiciones mucho peores. —Se llevó la mano a la espalda para frotarse con cuidado la cicatriz verde. Tom vio que la herida estaba un poco mejor que antes.

—¿Qué te pasó? —preguntó Elena.

Castor frunció el ceño.

—No me acuerdo; fue como una pesadilla. Estaba recogiendo las redes repletas de peces cuando esta..., esta *cosa*... —Se interrumpió—. No, es imposible...

Tom miró a Elena y ella pronunció en silencio la palabra *Krab*. Su amigo asintió. En Avantia, la gente creía que las Fieras no eran más que leyendas, y a lo mejor en Gwildor pasaba lo mismo.

—¿Encontraste algo, Tom? —preguntó Elena—. Has tardado mucho en volver.

El muchacho buscó en su bolsillo y sacó la perla gigante con mucho cuidado. En cuanto volvió a tenerla entre sus dedos, la sensación de poder recorrió sus brazos y sus piernas.

—¡Es preciosa! —dijo Elena.

Castor abrió los ojos impresionado.

—¿De dónde has sacado eso? —preguntó.

Tom le contó que había ido al bosque, pero no mencionó su encuentro con Aduro.

—¡La perla de Gwildor! —exclamó Castor.

—¿La conoces? —preguntó Elena.

—Es sólo un mito —contestó el chico—. Los pescadores suelen hablar de ella. Se supone que le da a su dueño el poder de respirar debajo del agua, pero sólo si está en contacto con la piel... —dijo mirando a Tom—. ¡Tú eres el elegido!

A Tom le cogió por sorpresa la expresión de alegría en los ojos de Castor.

—¿Qué quieres decir? —preguntó.

Castor señaló la perla y habló con una voz distante:

—*Del valiente es la recompensa*
porque su valor no cesa.
El hijo de Gwildor que viene del este
salvará a las Fieras cueste lo que cueste.

Tom y Elena se miraron estupefactos.

—Es una profecía muy antigua —explicó Castor—, canciones infantiles sobre la época en la que las Fieras ayudaban a la gente. Tú vienes del este y ahora las Fieras... —Dejó de hablar.

Tom estaba confundido.

—Yo nací y me crié en Avantia. No

soy un hijo de Gwildor. Pero dime, ¿qué ibas a decir de las Fieras?

Castor vaciló.

—Nada. Todavía estoy un poco aturdido.

Elena se arrodilló a su lado y le puso la mano sobre el brazo.

—Cuéntanoslo. Te prometo que te creeremos.

Castor los miró con inseguridad.

—Algo me atacó. No sé cómo describirlo. Era como un cangrejo gigante que flotaba en el agua. La Fiera se comió mi pesca y después destruyó mi barca con un golpe de su pinza. Creía que nunca lo contaría... —Se detuvo y observó a Tom y a Elena—. Creéis que estoy loco, ¿verdad?

—No —dijo Tom—. Nosotros también hemos visto cosas extrañas. —Las palabras de Castor le habían dado una idea, pero necesitaba consultarla con Elena—. Debes de estar hambriento. —Sacó un poco de pan de las alforjas de *Tormenta* y se lo dio a Castor, que lo devoró ansiosamente como si no hubiera comido en mucho tiempo.

Tom llevó a Elena a una distancia segura y le susurró:

—Se me ha ocurrido una idea para enfrentarme a *Krab*.

—¿Cuál? —preguntó la muchacha—. La última vez apenas conseguimos salir. Es imposible vencer a la Fiera en el agua.

—No, en el agua, no —dijo Tom—, pero si conseguimos que venga a tierra, a lo mejor tenemos una oportunidad.

De pronto, a Elena le brillaron los ojos. Miró los peces enganchados en las redes de Castor.

—Y a *Krab* le gustan los peces...

—Exacto —dijo Tom—, pero necesitamos hilo de pescar...

Elena corrió hasta los restos de la barca de Castor y, con su cuchillo de caza, empezó a cortar las redes. En poco tiempo, había conseguido hacer un hilo de pescar de unos cincuenta metros de largo. Con los restos de cuerda ató unos peces muertos al hilo.

—¿Cómo has hecho eso? —preguntó Tom. Miró a Castor y vio que el chico se había quedado dormido después de comer.

—Mi tío es pescador y me enseñó algunos trucos —dijo ella cruzándose de brazos y observando su trabajo.

Plata olfateó uno de los peces muertos y salió corriendo por la arena.

—Está claro que no le gustan —dijo Tom dejando el escudo en el suelo—. Espero que *Krab* no sea tan exigente.

Ató la pequeña ancla de la barca al final del hilo. Necesitaba un buen plomo para que se hundiera en el agua. Ató el otro extremo a su cintura con un par de vueltas y cogió el ancla. Empezó a girar el ancla por encima de su cabeza, cada vez más rápido, y la lanzó todo lo lejos que pudo.

El ancla salpicó al caer en el agua y arrastró el hilo hasta el fondo del mar.

Con la perla en una mano y la espada en la otra, Tom se quedó de pie con las olas rompiendo en sus tobillos, mirando el ancho mar. Frunció el ceño. Aunque *Krab* cayera en la trampa, no sabía muy bien cómo iba a liberarlo del maleficio de Velmal. Ni siquiera sabía cuál era ese maleficio.

Todo lo que podía hacer era esperar...

CAPÍTULO SIETE

LA PESCA

Tom notó un tirón en la cuerda.

—¡Elena! —gritó mientras apretaba con fuerza la perla que tenía en la mano—. ¡*Krab* está aquí!

Clavó los talones en la arena mientras la cuerda se tensaba y tiraba de él. Observó el lugar donde la cuerda se metía en el agua. Vibraba y estaba tensa. Tiró y se echó hacia atrás. Elena tenía las manos alrededor de su cintura y tiraba de él. Parecía estar funcionando. Estaban ganando la batalla.

De pronto, algo salió a la superficie, pero no era el inmenso cuerpo de *Krab*. Era una aleta enrollada en la línea de pescar. Entre las olas apareció una boca llena de dientes afilados.

«¡Un tiburón!»

—¡Rápido, Tom! —dijo Elena—. Si el tiburón se come el cebo, no tenemos otra manera de pescar a *Krab*.

Tom tiraba y soltaba de la cuerda para intentar desenganchar al tiburón, pero sólo conseguía enrollarlo más.

—Elena —dijo Tom desatándose la cuerda de la cintura—. Sujeta esto. Voy a meterme en el agua e intentar recuperar lo que pueda.

Envainó la espada y dio un paso en el agua metiendo el amuleto dentro de su camisa para protegerlo. De pronto, una inmensa figura se levantó por detrás del tiburón. De su caparazón colgaban percebes y salían ocho patas.

¡*Krab*!

La Fiera rugió al ver al tiburón. Antes de que Tom pudiera hacer nada,

adelantó una de sus grandes pinzas y levantó al tiburón en el aire. Con un pequeño apretón, lo partió en dos y ambos trozos cayeron al agua. Una gran río de sangre enrojeció el agua y la cuerda se destensó. *Krab* cogió una de las mitades del tiburón y se la metió en la boca.

—¡Vuelve, Tom! —gritó Elena.

Él negó con la cabeza.

—Tenemos que continuar con nuestra Búsqueda. Tengo que encontrar la manera de atraer a *Krab* a tierra.

La Fiera movió las patas en el agua y sus ojos salvajes se clavaron en Tom, pero no lo atacó.

—¿Qué estás pensando? —preguntó éste en voz alta. Se agachó y cogió la cuerda esperando poder usarla. Se la ató rápidamente a la cintura.

La Fiera de pronto comenzó a hundirse soltando burbujas por el borde de su caparazón hasta desaparecer una vez más.

¡Clas!

La cuerda que Tom tenía atada a la cintura se tensó, tiró de él y lo hizo caer de rodillas.

—¡Tom! —oyó a Elena gritar mientras conseguía volver a ponerse de pie. *Krab* tiró una vez más con fuerza y a Tom le dio la sensación de que le iba a arrancar el brazo. Echó la mano hacia atrás para intentar arrastrar a la Fiera hacia la playa. Elena corrió a su lado, se agarró a la cuerda y ambos tiraron con fuerza. *Krab* volvió a tirar, los derribó y los arrastró boca abajo.

Tom apretó los dientes con rabia al notar que se le caía la perla de la mano y salía rodando fuera de su alcance.

—No tenemos suficiente fuerza para

arrastrar a *Krab* hasta la playa —le gritó a Elena—. ¡Suéltame!

—Si lo hago, *Krab* te arrastrará hasta el mar y te comerá vivo —dijo ella.

—Si no lo haces, nos comerá vivos a los dos. Necesito la perla.

Elena soltó la cuerda y salió rodando. Tom vio que se ponía de pie y corría por la arena hacia la perla. Mientras la miraba, una ola le pasó por encima de la cabeza y empezó a escupir. *Krab* lo arrastraba lentamente hacia el mar.

—¡Tom! —oyó gritar a Elena—. ¡Toma!

Se volvió en el agua y vio que su amiga estaba en la orilla. La perla brillaba en su mano. Elena la lanzó, pero cuando Tom intentó cogerla, *Krab* volvió a tirar de él y la perla desapareció en las olas.

«¡No! ¡Es mi única oportunidad!», pensó Tom. Se zambulló en el agua transparente y consiguió ver la perla que se hundía lentamente. Nadó hacia ella sintiendo la tensión de la cuerda en su cintura. *Krab* seguía tirando de él.

Tom hizo un gran esfuerzo y estiró la mano. Sus pulmones estaban a punto de explotar y le salían burbujas por la boca.

Por fin, consiguió cerrar los dedos alrededor de la perla, pero en ese momento sintió un fuerte tirón de la cuerda que tenía atada a la cintura. Notó una corriente poderosa que lo arrastraba hacia el mar. El agua se volvió helada y oscura. Tom no podía aguantar más la respiración y abrió la boca, esperando que el agua le llenara los pulmones.

Pero no lo hizo. Sus pulmones se relajaron como si se hubieran llenado de aire, a pesar de que debajo del agua no

había aire. Ya no tenía miedo. Podía respirar. Pero no salían burbujas.

«¡Estoy respirando debajo del agua!»
Las viejas leyendas sobre la perla eran
ciertas.

Tom se dio la vuelta en el agua, mara-
villado por los poderes de la perla. Con

mucho cuidado, se pasó su preciada recompensa a la mano izquierda para poder sujetar la espada con la derecha.

En las aguas oscuras, apareció una
sombra.

Krab.

CAPÍTULO OCHO

BATALLA SUBMARINA

A pesar de su gran tamaño, *Krab* era tan ágil bajo el agua como en la superficie. Movía las patas con gran habilidad.

Mientras la Fiera arrastraba a Tom hacia ella, el chico la miró con determinación. Tenía que encontrar la manera de romper el maleficio de Velmal para que la Fiera volviera a ser buena. Acercó el filo de su espada a la cuerda tensa que seguía enrollada en su cintura. Todavía estaba bastante lejos. «Tengo que acercarme más», pensó.

Los ojos de *Krab* brillaban de hambre a medida que la distancia entre ellos se acortaba. Era difícil imaginar cómo una Fiera con un aspecto tan aterrador había llegado a estar del lado de Gwildor.

«¿Qué mantiene a *Krab* bajo el maleficio de Velmal?», se preguntó Tom. Cuando el brujo Malvel sometió a las Fieras buenas de Avantia a su maleficio, utilizó un objeto mágico, como un collar o una cadena. ¿Habría hecho Velmal algo parecido? Tom ahora estaba a unas diez brazadas de distancia de *Krab*. Podía ver el grueso caparazón de la Fiera cubierto de raspaduras, pero no consiguió distinguir nada inusual en él, sólo las babas verdes que goteaban de una de sus pinzas.

Krab abrió la boca, listo para tragarse a su víctima, revelando unas hileras de dientes afilados. Tom deseó poder coger su escudo o cualquier otra cosa que lo protegiera de las mandíbulas asesinas de *Krab*.

Sabía que no podía acercarse más y con la espada cortó la cuerda que tenía atada a la cintura. El impulso lo llevó hacia delante, pero en el último segundo consiguió poner un pie encima de una de las anchas cejas de *Krab* y encaramarse a su mandíbula. Ahora tenía ambos pies en el caparazón de *Krab* y miraba a la Fiera desde arriba.

Krab soltó un chillido de confusión lanzando burbujas hacia la superficie. Sus ocho patas subían y bajaban en el agua. Tom se puso de rodillas. Tenía la perla en una mano y la espada en la otra y no podía sujetarse. Se resbaló del caparazón y fue a caer encima de una de las patas de *Krab*. Se agarró rápidamente con las rodillas.

Se sujetó con fuerza mientras el cangrejo gigante movía con rabia las patas

para intentar soltarlo. La Fiera empezó a abrir y cerrar las pinzas, pero Tom estaba demasiado alto y sus armas letales no le alcanzaban.

Los chillidos agudos de *Krab* se propagaban por el agua y sus ojos brillaban con furia. Tom sentía cada sacudida en sus huesos y los dientes le castañeteaban. Era como estar subido a un caballo salvaje en las llanuras de Avantia. «No puedo resistir mucho más —pensó—. Tengo que averiguar cómo romper el maleficio.»

Tom lanzó un grito de frustración y se soltó. Salió disparado lejos de *Krab* y aterrizó en el fondo del mar. Inmediatamente, una de las patas de la Fiera se extendió hacia su cabeza. El chico rodó por el suelo marino rodeado de una nube de arena. Otra pata se clavó en el suelo y Tom volvió a rodar. Pero no fue lo suficientemente rápido. La pata de *Krab* se enganchó en su túnica y la rasgó por la mitad, haciéndole un rasguño en la cadera. Tom sentía que la rabia le subía por el pecho. No podía moverse más rápido debajo del agua.

Cuando la siguiente pata lo atacó, Tom la golpeó con la parte plana de su espada. Pero le dolía el brazo. Sin la ar-

madura dorada que había conseguido en su Búsqueda anterior, no tenía poderes mágicos. Tom sabía que tenía que volver a subirse encima de *Krab*. Era el único lugar donde estaba a salvo.

Tom avanzó dando patadas por el suelo marino. *Krab* se dio la vuelta y creó una corriente que hizo que el chico saliera dando vueltas. Intentó nadar, pero

estaba tan desorientado que no sabía hacia dónde estaba la superficie.

De pronto, volvió a ver todo con claridad cuando un dolor agudo le recorrió el brazo. La Fiera le había atrapado la mano derecha con una pinza. Era la mano con la que usaba la espada. Notó el agua que le pasaba entre los dientes mientras intentaba soltarse.

Era inútil.

«Ahora que me tiene atrapado, no me dejará ir», pensó Tom.

La Fiera arrastró al chico hacia su mandíbula abierta. Éste intentó soltarse, pero era imposible, lo tenía bien agarrado.

Tom miró la perla que tenía en la mano izquierda. «Todavía me queda una mano —pensó—. Tengo que usarla para liberarme.»

Tomó aire con fuerza y soltó la perla, que empezó a hundirse en el agua. Tom sabía que era una carrera contra el tiempo. Si no conseguía soltarse y volver a la superficie, acabaría ahogado en el mar de Gwildor.

Abrió la mano que tenía atrapada en la pinza y soltó la espada. Su arma flotó lentamente en el agua delante de su cara y la cogió con la mano izquierda. No quería hacerle daño a la Fiera, pero no le quedaba otro remedio. Vio que los ojos de *Krab* se movían en su dirección. La Fiera había descubierto su plan.

Pero *Krab* no fue lo suficientemente rápido.

Tom metió la espada en la pinza que lo tenía atrapado para intentar abrirla, pero no consiguió moverla. Sus pies estaban demasiado cerca de la boca de *Krab* y casi podía ver cómo la Fiera abría los músculos de su garganta, listo para tragárselo de un bocado. Tom blandió la espada desesperadamente y consiguió clavar su filo en el duro caparazón de la pinza.

El chillido de *Krab* retumbó en el agua, creando un ejército de burbujas que rodeaba el cuerpo de Tom. Una nube verde salió de la herida de la pinza cegándolo por completo. Se protegió la cara con la mano izquierda.

«Ése es el veneno de *Krab*», pensó recordando la cicatriz verde que tenía Castor en la espalda.

De pronto, notó que la presión en su muñeca desaparecía. La pinza se había abierto ¡y estaba libre!

Pero ¿dónde estaba la perla? Tom sentía que el pecho le ardía y sabía que iba a perder el conocimiento antes de llegar a la superficie. Si quería salir con vida de ésta, necesitaba recuperar la recompensa de la Maestra de las Fieras.

Abrió un poco los ojos y vio que el veneno verde había desaparecido. Se volvió en el agua y clavó su mirada en los ojos de *Krab*, que iba nadando hacia él. Tom intentó sujetar la espada con la mano derecha, pero le dolía demasiado después de haber estado atrapada en la pinza de *Krab* y la falta de aire lo hacía sentirse muy débil.

«Éste es el fin de mi Búsqueda», pensó desesperadamente.

CAPÍTULO NUEVE

EL MALEFICIO ROTO

Tom intentó levantar la espada, pero el brazo le dolía mucho. Justo cuando pensaba que *Krab* le iba a partir en dos con sus pinzas, la Fiera pasó a su lado y se alejó, moviéndose rápidamente con sus gigantescas patas.

¿Qué estaba haciendo?

Tom sintió que se le cerraban los ojos a medida que el agua le entraba por la garganta y el dolor en su pecho se hacía insoportable.

Sintió algo en la palma de su mano y cerró los dedos instintivamente. En ese momento, el dolor asfixiante desapareció como una nube al elevarse. ¡Podía volver a respirar! Abrió los ojos, miró hacia abajo y vio que en su mano sujetaba la perla, fría y suave.

¿Cómo había ocurrido?

El inmenso cuerpo de *Krab* se alzaba delante de él, pero la Fiera no lo atacó. Algo había cambiado en su aspecto. Sus ojos, que antes brillaban de rabia, ahora miraban con calma. No intentó atacarlo con las pinzas. Se había quedado ahí delante, sin moverse.

Tom vio que de la pinza herida seguía saliendo un reguero de babas verdes, y en ese momento entendió lo que había pasado. ¡Velmal controlaba a *Krab* con el veneno! Cuando Tom hirió a la Fiera, el veneno salió y se llevó consigo la magia malvada. Fue precisamente *Krab* el que había ayudado a Tom y le había devuelto la perla que estaba en el fondo del mar. La Fiera volvía a ser buena.

Tuvo un sentimiento de pena y re-

mordimiento a la vez por haber herido a una Fiera tan magnífica.

«Lo siento, no me quedaba otra opción», quería decir.

Krab extendió su pinza sana y Tom envainó su espada. Ya no la necesitaba. Estiró la mano y se agarró a la pata de *Krab*. La Fiera movió sus ocho patas y ambos salieron juntos hacia la superficie. Tom notaba que el agua pasaba a su lado rápidamente mientras admiraba la fuerza de la Fiera.

Al llegar a la superficie, Tom respiró aliviado. Tenía la sensación de haber estado días bajo el agua. El sol brillaba sobre el mar. Miró hacia la costa. Vio a Elena en la playa mirando hacia las olas. *Tormenta* estaba a su lado, al igual que *Plata*, que parecía estar olfateando el aire para detectar el rastro de Tom.

Tom se sentía ligero como una hoja

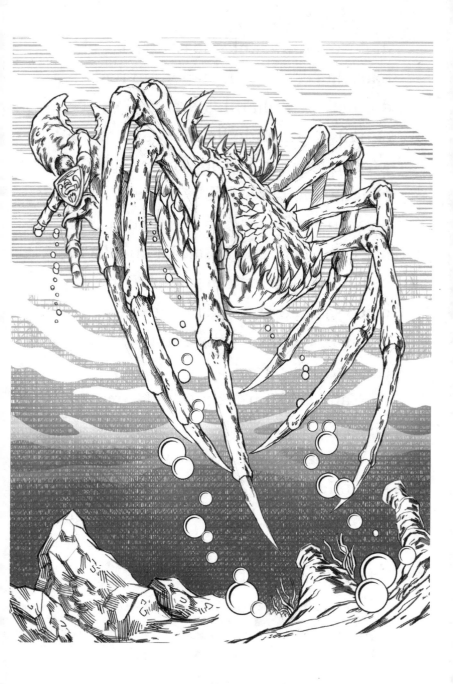

mientras *Krab* lo llevaba entre las olas hacia la costa. Podía haber ido nadando, pero le dolían los brazos y estaba exhausto. Cuando llegaron a la playa, *Krab* lo levantó cuidadosamente desde el agua y lo depositó en la arena. Tom levantó la cabeza y vio que Elena corría por la playa mientras sacaba una flecha de su carcaj para ponerla en el arco. El chico sabía lo que estaba haciendo.

—¡No, Elena! —gritó con la voz ronca—. ¡No dispares!

Su amiga lo miró confundida, pero no disparó.

—El maleficio de Velmal se ha roto —dijo Tom intentando ponerse de pie—. *Krab* me salvó la vida y me devolvió esto.

Le mostró la perla.

Elena bajó el arco y corrió a abrazar a Tom.

Tom abrazó a su amiga. Le latía la mano que había estado atrapada en la pinza de *Krab*. Miró hacia abajo y vio que tenía una cicatriz verde.

«El único culpable aquí es Velmal —se dijo—. No la Fiera.» Levantó la vista y vio que Elena miraba a *Krab* con desconfianza.

—No pasa nada —dijo Tom—. No te hará daño.

La Fiera volvió a meterse en el agua sin apenas hacer olas, hasta que por la superficie sólo asomaron los ojos y la parte de arriba de su caparazón. Soltó una columna de burbujas.

—Parece como si estuviera arrepentido —dijo Tom despidiéndose de la Fiera con la mano hasta que se perdió de vista.

—¿Qué te ha pasado en la mano? —preguntó Elena.

Tom le contó su batalla submarina y

cómo *Krab* lo había agarrado con la pinza.

—La cicatriz de tu mano es mucho más oscura que la que tiene Castor en la espalda —dijo Elena—. Está completamente verde. ¿Te duele?

Tom flexionó los dedos cautelosamente y apretó los dientes del dolor.

—Un poco —dijo intentando no preocupar a su amiga—. Seguro que es porque la herida es reciente.

—La cicatriz de Castor ya casi ha desaparecido —dijo Elena—. Seguro que la tuya también desaparecerá pronto.

Tom asintió.

—Claro que sí —dijo—. Y ahora, los pescadores de Gwildor no tendrán nada que temer.

Los dos amigos caminaron por la playa hasta donde estaba Castor, protegido por *Tormenta* y *Plata*. *Plata* aulló de alegría al ver que se acercaban y *Tormenta* pateó el suelo. Tom sonrió. Era una buena sensación volver a estar con sus compañeros.

«Pero el peligro no ha pasado —se recordó—. Velmal y Freya siguen por ahí...»

CAPÍTULO DIEZ

¿EL ELEGIDO?

A Tom lo alivió ver que Castor tenía mucho mejor aspecto. El color le había vuelto a las mejillas y el chico ahora estaba de pie, intentando recuperar los restos de su barca.

—Elena me dijo que *Krab* te había arrastrado al fondo del mar —dijo el chico de Gwildor—. No me puedo creer que me quedara dormido. Lo siento.

—No te preocupes —lo tranquilizó

Tom—. Estabas malherido. Además, parece que el mito de la perla es cierto. Me salvó la vida.

—¡Lo sabía! —dijo Castor.

Tom había recuperado las fuerzas y metió el hombro por debajo de la barca de Castor para ayudar al chico y a Elena a darle la vuelta. La barca estaba en muy mal estado.

—Vas a necesitar un buen carpintero

para repararla —dijo Elena observando la madera astillada.

—Pues tengo suerte porque en mi pueblo hay varios. Les diré que vengan a verla —contestó Castor.

Tom notó que el chico lo miraba de una forma extraña.

—Deberíais venir a conocer a mi gente —dijo Castor—. Todos conocen la profecía y ahora sabrán que era cierta...

«Pero yo no soy el de la profecía —pensó Tom—. No soy un hijo de Gwildor.»

Las palabras místicas se repitieron en su cabeza. Quería hacerle muchas preguntas a Castor. ¿Cuándo empezó esa profecía? ¿Quién la contó por primera vez?

Tom movió la cabeza. Todos los reinos tienen sus historias, leyendas que pasan de generación en generación. Era absurdo creer en ellas. Aduro lo había enviado allí por un motivo. Tenía que concentrarse en su Búsqueda. Gwildor seguiría en peligro hasta que liberara a las cinco Fieras que quedaban. Y si Gwildor estaba en peligro, el reino de Avantia sería el siguiente.

Tom tomó una decisión.

—Lo siento —le dijo a Castor—, pero nuestro camino nos lleva a... otro lugar.

Elena estaba a punto de decir algo, sin embargo se detuvo al ver la cara de Tom. Sabía que su amigo no iba a descansar hasta completar su Búsqueda de Fieras.

—Como quieras —dijo Castor—, pero yo debo regresar. Mis padres deben de estar preocupados por mí. No sé lo que les voy a contar: un cangrejo gigante, la perla de Gwildor..., ¡nunca me creerán!

Tom y Elena se rieron.

—Entonces, adiós —dijo el chico de Gwildor—. Y gracias por todo.

—Adiós —dijo Tom.

—Cuídate —dijo Elena. *Plata* también aulló para despedirse.

Tom observó a Castor correr por la playa y desaparecer entre los árboles. Se volvió hacia *Tormenta* y le dio unas palmaditas en el flanco.

—¿Estás listo para otra aventura, muchacho?

—Él está listo —dijo una voz—. ¿Y tú?

Tom se dio la vuelta y vio a Aduro y a Taladón en la playa. Durante un momento pensó que realmente estaban allí con él, en Gwildor, pero sus pies no habían dejado ninguna huella en la arena. Eran una aparición.

—Has triunfado, Tom —dijo Aduro—, y *Krab* vuelve a ser libre. Pero debo advertirte, todavía te esperan grandes retos.

—No vamos a poder visitarte con fre-
cuencia —dijo Taladón—. A medida
que te adentres en Gwildor, la magia
de Velmal se hace más poderosa y la de
Aduro se debilita. Tendrás que emplear
tus propios recursos.

—No temas, padre —dijo Tom—. Es-

taré preparado para enfrentarme a Velmal y también a Freya.

La cara de Taladón empalideció. Aduro bajó la mirada.

—¿Qué ocurre? —preguntó Elena.

—¿Habéis visto a la Maestra de las Fieras? —preguntó Taladón—. ¿Os la mostró Velmal?

—Sí —dijo Tom recordando la risa cruel de Freya.

Taladón le susurró algo a Aduro con un tono de urgencia. Tom intentó escuchar lo que decía, pero las únicas palabras que consiguió oír fueron: «Las cosas están peor de lo que me imaginaba».

El brujo asintió con preocupación y se dirigió a Tom y Elena.

—Debéis estar siempre alerta, héroes de Avantia. Y recordad: los habitantes de Gwildor son buenos, pero la maldad y la oscuridad acechan en las sombras.

—Espera..., ¿por qué están las cosas peor de lo que te imaginabas? —preguntó Tom.

Pero las dos apariciones empezaron a desvanecerse. Tom no sabía si habían oído su pregunta. En unos segundos, desaparecieron por completo.

Estaba anocheciendo en Gwildor y la luna empezaba a ascender. El muchacho se montó en *Tormenta* y ayudó a Elena a subirse detrás.

—Creo que Aduro nos está ocultando algo —le dijo a su amiga.

—Si permanecemos juntos, no pasará nada —contestó Elena.

Tom tenía miles de preguntas en la cabeza. Tierra adentro le esperaban Cinco Fieras, cinco víctimas inocentes aprisionadas por Velmal.

Agarró las riendas con fuerza.

—¿Lista? —preguntó.

Elena le rodeó la cintura con los brazos.

—Por supuesto. Siempre estoy lista para una nueva Búsqueda.

Tom le dio un toque de talones a *Tormenta* y salieron galopando por la playa en dirección a los árboles. *Plata* corría detrás de ellos.

Mientras se adentraban en el bosque, Tom sospechaba que iban a encontrarse con más sorpresas. Pero Elena tenía razón: con sus tres compañeros a su lado, no habría Búsqueda que se les resistiera.

ACOMPAÑA A TOM EN SU
SIGUIENTE AVENTURA
DE *BUSCAFIERAS*

Enfréntate a las Fieras.
Vence a la Magia.

www.buscafieras.es

¡Entra en la web de *Buscafieras*!

Encontrarás información sobre cada uno de los libros,
promociones, animación y las últimas novedades sobre
esta colección.

Fíjate bien en los cromos coleccionables que regalamos
en cada entrega. Cada uno de ellos tiene un código
secreto en el reverso que te permitirá tener acceso
a contenidos exclusivos dentro de la página
web de *Buscafieras*.

¿Ya tienes todos los cromos?
¡Atrévete a coleccionarlos todos!

¡Consigue la camiseta exclusiva de BUSCAFIERAS!

Sólo tienes que rellenar **4 formularios** como los que encontrarás al pie de esta página de **4 títulos distintos** de la colección Buscafieras. Envíanoslos a EDITORIAL PLANETA, S. A., Área Infantil y Juvenil, Departamento de Marketing (BUSCAFIERAS), Avda. Diagonal, 662-664, 6.ª planta, 08034 Barcelona

Promoción válida para las 1.000 primeras cartas recibidas.

Nombre del niño/niña: ....

Dirección: ....

Población: .... Código postal: ....

Teléfono: .... E-mail: ....

Nombre del padre/madre/tutor: ....

☐ Autorizo a mi hijo/hija a participar en esta promoción.

☐ Autorizo a Editorial Planeta, S. A. a enviar información sobre sus libros y/o promociones.

Firma del padre/madre/tutor:

BUSCAFIERAS N.º 25 PRUEBA DE COMPRA
